AVI: M4

Leesmoeilijkheid: woorden die eindigen op -d en -t (paard, zacht)

Thema: zingen

Zwijsen

Chris Winsemius
Zingen op tv

met tekeningen van Pauline Oud

Bikkels

Naam: *Floor*

Ik woon met: *mijn mama*

Dit doe ik het liefst: *zingen met Jenske*

Hier heb ik een hekel aan: *zingen zonder Jenske*

Later word ik: *zangeres*

In de klas zit ik naast: *Alex en Sasja*

1. Niet storen

Het regent en het waait.
De druppels slaan tegen het raam.
Daarna zoeken ze hun weg naar beneden.
Floor en mama zitten binnen.
Geen van beiden let op de druppels.
Ze letten ook niet op elkaar.
Allebei zijn ze druk bezig.
Mama speelt gitaar.
Ze verzint een liedje.
Dat doet ze zo vaak.
Tussen haar tanden houdt ze een potlood.
Af en toe pakt ze het.
Dan schrijft ze iets op.
Het wordt een liedje voor oma.
Die is morgen jarig.
Floor zit aan de keukentafel.
Ze neuriet mee.
Zij maakt een tekening voor oma.
Ze tekent het huis waar oma in woont.
Het heeft twee ramen en een deur
en een grote tuin, met een hek.
Bij het hek staat een paard.
Een mooi, bruin paard.
In het echt heeft oma geen paard.

Daarom tekent Floor er juist een.
Dan heeft oma wel een getekend paard.
Dat vindt ze vast fijn.
Floor is bijna klaar.
Alleen het dak is nog niet af.
Dat moet rood worden.
'Eens even kijken,' mompelt ze.
'Hé, hoe kan dat nou?'
Floor kan het rode potlood niet vinden.
Dan ziet ze het.
Mama heeft het in haar mond.

'Mama, mag ik jouw potlood?' vraagt ze.
Mama kijkt op.
'Hoezo?' vraagt ze.
'Ik heb rood nodig,' zegt Floor.
Mama zucht.
'Je stoort.'
Ze veegt het potlood af aan haar mouw.
Dan geeft ze het aan Floor.
'Nou ja, als jij per se rood wilt,
pak ik wel blauw,' zegt ze nukkig.
Daarna gaat ze verder met haar liedje.

Floor kleurt rustig verder.
Ze vindt het niet erg dat mama zo doet.
Zo doet ze wel vaker als ze een liedje verzint.
Gelukkig, mama neuriet alweer.
'Ja, nou heb ik het!' zegt ze.
Snel schrijft ze iets op.
'Zo, ik ben klaar.'
Ze kijkt naar Floor.
Die is nog bezig met haar tekening.
Mama aarzelt.
'Floor?' vraagt ze zachtjes.
Floor kijkt op.
'Mag ik je storen?' vraagt mama.
'Ja hoor,' zegt Floor.
'Wat is er?'
'Ik heb een liedje gemaakt,' zegt mama.
'Wil jij dat morgen zingen?
Voor oma?'
'Goed,' zegt Floor.
Mama is opgelucht.
'Je bent een lieverd,' zegt ze.
Floor kijkt verbaasd op.
'Omdat ik jouw liedje wil zingen?'
Mama knikt.
'Ja, daarom óók.'

2. De verjaardag

Het is druk bij oma.
Er zijn veel ooms en tantes.
Ze zitten in een grote kring
en ze eten taart.
Eerst geeft Floor oma een kus.
Daarna geeft ze haar tekening.
Oma bekijkt hem.
'Wat prachtig!' roept ze, 'ben ik dat?'
Floor knikt.
'Fijn hoor,' zegt oma.
'Ik zie dat ik zelfs een paard heb!'
Floor lacht.
Oma snapt het.
Tante Wies komt uit de keuken
met een stuk taart.
'Hier,' zegt ze tegen Floor.
'Dit is voor jou.
Weet je wat?
Ga aan de kleine tafel zitten.
Dan kun je een mooie tekening maken.'
'Nee,' zegt Floor, 'dat heb ik al gedaan.'
Tante Wies hoort het niet eens.
Ze loopt al terug naar de keuken.
Stil eet Floor haar taart op.

Als ze klaar is, kijkt ze om zich heen.
Jammer, denkt ze.
Er zijn helemaal geen kinderen.
Er zijn alleen grote mensen.
Ze praten allemaal door elkaar.
Oom Ton en oom Bart praten over geld.
Tante Bets en tante Els praten over kleren.
Mama en oma praten over vroeger.
Opa praat tegen de parkiet.
Maar dat gaat nergens over.
Hij roept telkens:
'Lorre, Lorre!'
De parkiet zegt niks terug.

Floor gaat bij opa staan.
Hij kijkt opzij.
'Hallo meisje,' zegt hij.
'Hoe oud ben jij ook alweer?'
'Zeven jaar,' zegt Floor.
Opa knikt.
'Vind je het fijn op school?'
'Ja, hoor.'
'In welke groep zit je nu?'
'In groep vier.'
'Heb je een leuke juf?'
'Nee, ik heb een meester.'
'Vind je het fijn op school?'

'Dat had je al gevraagd,' zegt Floor.
'O ja,' zegt opa.
Hij draait zich om
en kijkt naar de parkiet.
'Lorre!' roept hij weer.
De parkiet zegt nog steeds niks terug.
Floor verveelt zich.
Mama ziet het.
Ze geeft Floor een knipoog.
Dan staat ze op
en loopt naar de kapstok.
Daar staat haar gitaar.
Even later komt ze terug.
Ze wenkt Floor.
'Kom, ga vlak bij oma staan.
Dan kan ze je goed verstaan.'
De ooms en tantes praten door.
Mama trekt zich daar niets van aan.
Ze begint gewoon te spelen.
Floor zet in.
Opeens wordt iedereen stil.
Alle ooms en tantes kijken naar Floor.
Ze zijn verbaasd en ontroerd.
Oom Ton pinkt zelfs een traan weg.
En tante Wies zegt:
'Wat kan die meid mooi zingen!'

3. Het gesprek

Floor zit bij het raam.
Ze is boos.
Ze wil buiten spelen.
Samen met Alex en Sasja.
Die zitten bij haar in de klas.
En na school spelen ze met haar op straat.
Maar nu mag dat niet.
Mama is bang dat Floor vies wordt.
'Ik word helemaal niet vies,' roept Floor.
'We gaan alleen touwtjespringen.'
'Blijf toch maar binnen,' zegt mama.
'Straks komt die mevrouw.'
Floor zucht.
Het is mama's schuld:
zij heeft het liedje opgenomen
terwijl Floor het zong.
Daarna heeft ze het opgestuurd
naar een mevrouw van de tv.
En nu wil die mevrouw praten met Floor.
Floor wil niet praten.
Buiten spelen vindt ze veel leuker.
De bel gaat.
Mama springt op en loopt naar de deur.
Even later stapt er iemand de kamer in.

Het is geen echte mevrouw.
Ze is veel jonger dan Floor had gedacht.
Vrolijk geeft ze Floor een hand.
'Hallo,' zegt ze.
'Ik ben Astrid en ik werk bij de tv.
Mag ik jou straks een paar vragen stellen?'
'Ja, hoor,' zegt Floor.
'Wilt u thee of koffie?' vraagt mama.
'Mmm, thee graag,' zegt Astrid.
Floor kijkt uit het raam.
Ze ziet Sasja en Alex.
Alex heeft zijn katten bij zich.
Floor wil ook met de katten spelen.
Sasja en Alex wenken naar Floor.
Floor zwaait naar ze en schudt van nee.
'Zijn dat je vriendjes?' vraagt Astrid.
Floor knikt.
'Ja, ze willen dat ik buiten kom.'
Astrid lacht.
'Dat kan ik me voorstellen.
Het is mooi weer.
Weet je wat?
Ik stel maar een paar vraagjes.
Dan ben je lekker gauw klaar.'
Daar wordt Floor blij van.
Ze vindt Astrid aardig.

'Zing je graag?' vraagt Astrid.
'Ja,' zegt Floor.
'Fijn, dat is belangrijk,' zegt Astrid.
Ze schrijft iets op.
'Vind je het eng om op te treden?'
Floor schudt haar hoofd.
'Nee, hoor.'
'Mooi, dat schiet op,' zegt Astrid.
'Wil je wel op de tv komen?'
Floor knikt.
'Fijn, fijn.'
Mama komt binnen met de thee.
'Zo, met Floor ben ik klaar,' zegt Astrid.
'Nu heb ik een paar vragen voor u.'
Ze haalt een stapel papieren uit haar tas.
Die legt ze voor mama neer.
Mama kijkt verbaasd en stamelt:
'Moet ik dat allemaal invullen?'
Astrid lacht.
'Ja, maar Floor hoeft niet te wachten, hoor.
Volgens mij speelt ze liever buiten.'
'O ja,' zegt mama verstrooid.
'Dat is goed.'
Floor glundert.
Ze geeft Astrid een hand.
En dan holt ze naar buiten.

4. Zingen voor een jury

Floor is in de studio, samen met mama.
Een studio is een groot gebouw.
In dat gebouw zijn veel gangen en kamers.
Een lange man brengt ze naar de kantine.
'Hier kunt u wachten,' zegt hij.
'Het zal wel even duren.
U kunt gratis eten en drinken halen.
Zodra u aan de beurt bent, haal ik u op.'
Daarna loopt hij weg.
Floor fluistert tegen mama:
'Wanneer kom ik nou op tv?'
'Dat weet ik niet,' zegt mama.
'Je moet straks eerst zingen voor een jury.
Daarna hoor je of het doorgaat.'
'Het duurt wel lang,'
zegt Floor na een poosje.
'Het is warm,' zegt mama.
'Wil jij appelsap?
Dat is lekker koud.'
'Goed,' zegt Floor.
Samen lopen ze naar de toonbank.
Daar staat nog een meisje.
Samen met haar moeder.
Net als Floor krijgt zij appelsap.

'Ga jij ook zingen?' vraagt ze aan Floor.
Floor knikt.
'Ik heet Jenske,' zegt het meisje.
'Ik heet Floor,' zegt Floor.
Allebei blijven ze bij hun moeder zitten.
Terwijl ze drinken, kijken ze elkaar aan.
Hun flesjes zijn tegelijk leeg.
Ze lachen naar elkaar.
'Ken jij dat meisje?' vraagt mama.
'Ja,' zegt Floor, 'dat is Jenske.'
Jenske staat op en stapt op haar af.
'Zullen we gaan hollen?' vraagt ze.
Floor kijkt mama aan.

Die kijkt de moeder van Jenske aan.
Zij lachen ook naar elkaar.
'Goed, maar blijf in de buurt,' zegt mama.
'Kom,' zegt Jenske.
Ze holt voor Floor uit een gang in.
Floor holt achter haar aan.
Aan de wand hangen grote foto's.
Foto's van mensen die op tv komen.
Af en toe blijft Jenske staan.
'Die vind ik leuk!' roept ze dan.
En dan roept Floor:
'Ja, die vind ik ook leuk!'
Jenske wijst.

'Kijk daar, nog meer foto's!'
'Ja, die zijn ook leuk!' roept Floor.
Zo hollen ze samen gang in, gang uit.
'Zullen we teruggaan?' stelt Floor voor.
'Goed,' zegt Jenske.
'Dan moeten we hier in.'
Maar dat klopt niet.
Ze zijn verdwaald.
'Weet je wat?' zegt Jenske.
'We vragen gewoon de weg.'
Ze klopt op een deur en stapt naar binnen.
Floor loopt achter haar aan.
Plotseling horen ze iemand roepen:
'Stop de opname!'
Floor en Jenske kijken om zich heen.
Vreemde mensen staren hen aan.
'Wat doen jullie hier?' vraagt een man.
Jenske weet niets te zeggen.
Opeens herkent Floor iemand.
Het is Astrid.
Die was bij haar thuis.
'Dag Astrid!' roept Floor.
'Wij zoeken de kantine!'
Iedereen lacht.
'Kom,' zegt Astrid vriendelijk.
'Ik breng jullie wel.

Maar jullie mochten niet binnenkomen.
Kijk eens boven die deur.
Daar staat het woord "Stilte".'
Ja, nu zien Jenske en Floor het ook.

Floor en Jenske zijn net op tijd terug.
De lange man stond al te wachten.
Floor moet meteen met hem mee.
Samen lopen ze naar een kamer.
Daar zijn nog drie mensen.
Die kijken Floor vriendelijk aan.
Eerst willen ze haar naam weten.
En haar leeftijd.
Daarna moet Floor het liedje zingen.
Zonder dat mama gitaar speelt.
Het gaat goed,
maar het voelt wel anders.
Ook omdat oma niet meer jarig is.
Toch krijgt Floor applaus.
'Je hebt talent,' zegt de lange man.
'Als je wilt, mag je terugkomen.
Dan leer je hoe je op tv moet zingen.
Wil je dat?'
'Ja hoor,' zegt Floor.
Want dan ziet ze misschien Jenske weer.

5. De muziekles

Twee weken zijn voorbijgegaan.
Floor is weer in de studio.
Ze zit in een soort klasje.
Samen met Jenske en nog vijf kinderen.
Ze krijgen les in een grote zaal.
De zaal heeft een lange wand.
Een wand van spiegels.
Verder staat er alleen een piano.
Daar staan ze met zijn allen omheen.
Ze krijgen les van Kees.
Die maakt veel grapjes.
En hij speelt heel mooi piano.

Hij kan ieder liedje spelen.
'Zing maar mee,' roept hij telkens.
Jenske en Floor staan naast elkaar.
Ze giechelen veel.
Kees vindt dat niet erg,
omdat ze ook lekker meezingen.
'Met jullie komt het wel goed!' zegt hij.
De andere kinderen zijn aardig.
Alleen Bo doet een beetje raar.
Die denkt dat hij de beste is.
'Wanneer mag ik alleen zingen?' vraagt hij.
'Nu nog niet,' zegt Kees.

'Eerst ga ik voor jullie optreden.
Ga allemaal op de grond zitten.'
Kees loopt naar buiten.
Daarna komt hij weer binnen.
Hij wil dat ze voor hem klappen.
Kees is grappig.
Hij doet alles eerst fout:
bij een buiging valt hij bijna voorover.
Als hij loopt, struikelt hij over een draad.
En hij doet heel dom met de microfoon.
'Sorry,' zegt hij telkens.
'Dat deed ik fout.'
Daarna doet hij het nog een keer.
En dan gaat het goed.
Zo snapt iedereen hoe het wél moet.
'Wanneer mag ik nou alleen?' zeurt Bo.
Kees glimlacht.
'Dat mag nu,' zegt hij.
'En de anderen mogen óók.
Zo leren jullie elkaars liedje kennen.
Wie wil als eerste?'
'Ik!' roept Bo.
'Dat dacht ik al,' zegt Kees.
'Loop eerst naar buiten.
Kom daarna weer binnen.
Zing dan je lied.

Door de microfoon natuurlijk.
En na afloop moet je buigen.
Alles zoals het hoort.'

Bo zingt zuiver, maar ook hard.
Het doet bijna pijn aan Floors oren.
Als het lied uit is, kijkt Kees rond.
'En, hoe vonden jullie het?' vraagt hij.
Eerst blijft het stil.
'Best wel goed,' zegt Jenske.
De anderen knikken.
Kees is de enige met kritiek.
'Het is een lief liedje,' zegt hij,
'dus van mij mag je wat zachter zingen.
Kom Bo, probeer dat maar eens.'
Bo doet het.
De opmerking van Kees heeft geholpen.
Het klinkt stukken beter.
'Goed zo!' roept Kees.
'Dat bedoel ik!
De volgende!'
Zo komt iedereen aan de beurt.
Allemaal krijgen ze een tip van Kees.
Behalve Jenske en Floor.
Bij Jenske steekt hij zijn duim omhoog.
En bij Floor zegt hij weer:

'Met jou komt het wel goed.'
'Nu wil ik weer samen zingen!' roept Bo.
Kees lacht.
'Goed, kom maar bij de piano.'
Jenske gaat dicht bij Floor staan.
'Ik vind jouw liedje het leukst,' fluistert ze.
'Ik dat van jou,' fluistert Floor terug.
'Want jouw liedje gaat over een spin.
Mijn liedje heb ik al zo vaak gehoord.'

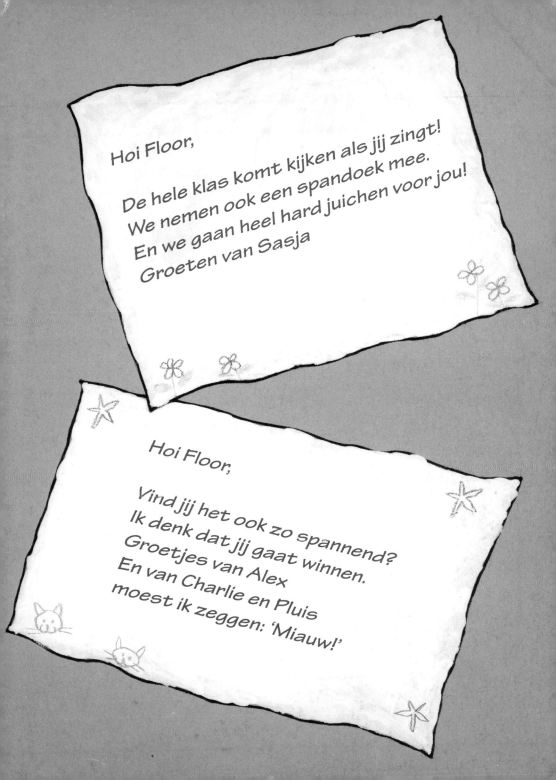

Hoi Floor,

De hele klas komt kijken als jij zingt!
We nemen ook een spandoek mee.
En we gaan heel hard juichen voor jou!
Groeten van Sasja

Hoi Floor,

Vind jij het ook zo spannend?
Ik denk dat jij gaat winnen.
Groetjes van Alex
En van Charlie en Pluis
moest ik zeggen: 'Miauw!'

6. Boos

Vandaag is het zover.
Floor is weer in de studio.
Deze keer komt ze op tv.
Ze is naar de kapper geweest.
En ze heeft mooie kleren aan.
Nu zit ze te wachten in een ruimte
achter het toneel.
Floor is de laatste die moet zingen.
Na Jenske.
Ze denkt aan mama en oma.
Die zitten allebei in de zaal.
Alex en Sasja trouwens ook.
En nog meer kinderen uit haar klas.
In de verte hoort ze de presentator:
'Dames en heren, hier is Bo!'
Eerst klinkt er applaus.
Dan begint Bo te zingen.
Jammer, denkt Floor.
Wat zingt die knul toch hard.
Daar komt Jenske aan gelopen.
Die ziet er net zo mooi uit als zij.
Ze stapt meteen op Floor af.
'Hoi,' zegt ze lachend.
'Ken je je liedje nog?'

Voor de grap begint ze het te zingen.
'Nee, niet doen,' lacht Floor.
Zij begint het liedje van Jenske te zingen.
Dwars door Jenske heen.
Jenske zingt gewoon door.
'Hé, stop daar eens mee!' roept iemand.
'Zijn jullie gek geworden?'
Floor en Jenske kijken verbaasd om.
Een dikke meneer kijkt hen streng aan.
'Nou moe,' zegt Jenske.
'We zingen alleen maar.'
De meneer stapt op haar af.
'Jij moet je mond houden!' sist hij.
'Wees blij dat je mee mag doen.
Ik wil jou niet meer horen!
Heb je dat goed begrepen?'
'Nee!
Daar begrijp ik niks van,' zegt Jenske.
'Ik ben hier toch om te zingen?'
Dat had ze niet moeten zeggen.
De meneer ontploft bijna.
'Pas maar op.
Anders stuur ik jou weg,' dreigt hij.
'Dan kun je niet meer zingen.
En dan kun je ook niet winnen!'
Hij draait zich om en loopt weg.

Jenske is geschrokken.
Met een wit gezicht zit ze naast Floor.
Ineens begint ze te huilen.
'Wat een stommerd!'
Floor slaat haar arm om Jenske heen.
'Trek je er toch niks van aan,' zegt ze.
Jenske schudt haar hoofd.
'Ik wil niet eens meer zingen,' snikt ze.
'En winnen hoef ik ook niet.
Die man gaat zelf maar zingen.'

7. Het wordt spannend

Astrid loopt langs.
Ze zwaait naar Floor en Jenske.
'Zet hem op, hè!'
Dan ziet ze dat Jenske huilt.
Ze komt terug en gaat bij haar zitten.
'Wat is er aan de hand?' vraagt ze.
Jenske zegt niks.
Ze verstopt zich achter haar haren.
Astrid kijkt vragend naar Floor.
'Wat is er met Jenske?'
Floor trekt haar schouders op.
'Ze wil niet meer zingen.'
Astrid schrikt.
'Hoe kan dat nou?
Wat is er dan gebeurd?'
Floor wijst naar de dikke meneer.
'Die man wou haar wegsturen,' zegt ze.
'Oei, dat is de baas,' legt Astrid uit.
'Die heeft het heel druk.
Veel te druk eigenlijk.
Daarom wordt hij soms boos op iemand.
Per ongeluk.
Veel bozer dan nodig is.'
Floor knikt.

Dat heeft mama ook wel eens, denkt ze.

Dat ze boos doet.

Per ongeluk.

Omdat ze het druk heeft.

Met liedjes maken bijvoorbeeld.

'Wacht,' zegt Astrid.

'Ik ga wel even met hem praten.'

Ze loopt naar de dikke man

en tikt hem op zijn schouder.

De man draait zich naar haar om.

Astrid wijst eerst naar Jenske

en dan naar haar horloge.

Ze maakt veel gebaren terwijl ze praat.

De man knikt en loopt met haar mee.

Samen met Astrid gaat hij bij Jenske zitten.

'Hallo,' zegt hij.

'Deed ik te boos tegen jou?

Sorry.'

Jenske zegt niets.

De man zucht diep.

'Wil je nu weer zingen?' vraagt hij.

Jenske schudt haar hoofd.

De dikke man krijgt het warm.

Het zweet druppelt van zijn voorhoofd.

'Hoe kan ik het goedmaken?

Wil je een koekje?

Een snoepje?
Wil je iets drinken?'
'Nee.'
Niets helpt.
Jenske blijft boos.
'Doe nou iets!'
zegt Astrid tegen de man.
'Ze is straks aan de beurt.'
De man krabt zich achter zijn oor.
'Tja, ik weet het niet meer,' zegt hij.
Vragend kijkt hij naar Astrid en Floor.
Floor heeft een idee.
'Zal ik samen met jou zingen?'

zegt ze tegen Jenske.
Jenske stopt met huilen en knikt.
'Ja, dat wil ik wel.'
De grote zaal zit vol mensen.
Op het toneel staat de presentator.
'Dames en heren,' roept hij.
'Hier is Jenske.
Ik bedoel:
hier zijn Jenske en Floor.
Zij gaan samen zingen.
Over een spin.'
Jenske en Floor lopen naar voren.
Floor krijgt ook een microfoon.

De microfoon van de presentator.
Daarna zingt ze samen met Jenske.
Het liedje van de spin gaat goed.
Iedereen klapt en juicht.
'Dat klonk mooi,' zegt de presentator.
'En nu gaat Floor een liedje zingen.
Een liedje voor haar oma.
Helemaal alleen!'
'Nee,' zegt Floor.
Ze houdt Jenske vast.
'Dit liedje doen we ook samen.'
Ze kijkt Jenske aan.
Die knikt.
De presentator kijkt verbaasd.
'O ja?' zegt hij.
'Dat wist ik niet.
Nou, vooruit dan maar.
Dames en heren, hier zijn nog een keer:
Floor en Jenske.
En nu met het liedje "Oma"!'
De muziek begint.
Jenske en Floor zetten in.

8. De uitslag

Het liedje is uit.
Iedereen klapt en juicht weer.
Maar deze keer houdt het niet op.
De mensen gaan zelfs staan.
Het zaallicht gaat aan.
Floor ziet mama en oma.
En Alex en Sasja.
Die houden een spandoek omhoog.
Hup Floor staat erop.
Jenske zwaait naar haar moeder.
'Hoi mams!' roept ze hard.
Alle zangers moeten naar voren komen.
Ze gaan naast elkaar staan.
De presentator babbelt met ze.
Net zolang tot de uitslag bekend is.
Dat duurt heel lang.
Eindelijk.
Iemand brengt een envelop.
Daarin zit een kaart.
De presentator kijkt wat erop staat.
'Dames en heren,' roept hij.
'Het winnende liedje ...
Eens even kijken.
Ja, het staat hier toch echt.

Nou, dan zeg ik het maar.
Het liedje dat gewonnen heeft, is "Oma"!'
Iedereen juicht.
Vooral de kinderen uit de klas van Floor.
De muziek zet weer in.
Jenske en Floor mogen nóg eens zingen.
En nu doet iedereen vrolijk mee.
Zelfs Bo.
Want hij heeft ook een oma.

Wil je meer lezen over Alex en zijn katten op pagina 18?
Lees dan 'De kattenkrant'. Het lijkt wel of Alex kan praten
met zijn katten Charlie en Pluis. Dat is handig, want hij gaat
een spreekbeurt over katten houden.
Ook schrijft Alex verhalen voor de kattenkrant.

In deze serie zijn de volgende Bikkels verschenen:

Zingen op tv
De kattenkrant
Ik wil later ridder worden
Bang voor meisjes
De badauto
Actie aan de kust
Een zomer met mama
De toversmid

	ME	ME	ME	ME	ME	
AVI	S 3	4	5 6	7	P	
CLIB	S 3	4	5 6	7 8	P	

zingen

Toegekend door Cito i.s.m. KPC Groep

De Nederlandse
Kinderjury
2008

1e druk 2007

ISBN 978.90.276.7265.0
NUR 282

© 2007 Tekst: Chris Winsemius
Illustraties: Pauline Oud
Vormgeving: Rob Galema
Uitgeverij Zwijsen B.V., Tilburg

Voor België:
Zwijsen-Infoboek, Meerhout
D/2007/1919/449